LES ÉDITIONS Z'AILÉES
22, rue Ste-Anne C.P. 6033
Ville-Marie (Québec) J9V 2E9
Téléphone : 819-622-1313
Télécopieur : 819-622-1333
www.zailees.com

DIFFUSION ET DISTRIBUTION : MESSAGERIES ADP
2315, rue de la Province
Longueuil (Québec) J4G 1G4
Téléphone : 450-640-1237
Télécopieur : 450-674-6237
www.messageries-adp.com
*filiale du Groupe Sogides inc.,
  filiale du Groupe Livre Québécor Media inc.

Infographie : Impression et design Grafik
Illustration de la page couverture : Richard Petit
Maquette de la page couverture : Gabrielle Leblanc
Texte : Amy Lachapelle
Crédit photo : Mylène Falardeau

Impression : août 2011
Dépôt légal : 2011
Bibliothèque nationale du Québec
Bibliothèque nationale du Canada

ISBN : 978-2-923574-99-8

Imprimé au Canada sur papier recyclé. ♻

Les Éditions Z'ailées remercient la SODEC
pour l'aide accordée à leur programme
de publication.

« Gouvernement du Québec — Programme de crédit d'impôt pour
l'édition de livres — Gestion SODEC »

ZONE
FROUSSE

LA PLUS

LONGUE NUIT

AMY LACHAPELLE

Pour toi qui tiens ce livre entre tes mains, que la peur soit avec toi!

PROLOGUE

« Je sais, c'est complètement irrationnel, mais Julien a toujours eu une peur bleue des orages. En fait, ce n'est pas seulement le tonnerre qui l'effraie, ni les éclairs, mais plutôt l'idée que la nature se déchaîne. Car parfois, il craint qu'elle perde le contrôle.

C'est un peu ce qui est arrivé lors de cette expédition de camping. J'aurais dû rester avec Julien et aujourd'hui, tout irait bien. Mais non, j'ai fait à ma tête, comme d'habitude. Maintenant, je dois vivre avec la culpabilité. Le pire, c'est que je ne saurai jamais réellement ce qui s'est passé. Pas plus que Nicolas.

Le cours de la vie de Julien a changé, contre son gré. Car il n'aurait jamais osé partir comme ça, tout seul. Je le sais, je le connais, mon ami. Tout ça est arrivé pour une histoire qui a piqué ma curiosité. »

LA CLASSE

Dans la classe de Julien, c'est l'euphorie. Il s'agit de la dernière semaine d'école et l'enseignante de Julien, madame Caroline, a pris l'initiative d'organiser une sortie pour les élèves de cinquième année. Tous les jeunes sont énervés à l'idée d'aller dormir dans le petit bois derrière l'école. Julien, Nicolas et Gabriel dormiront dans la même tente, juste à côté de celle de Magaly, Laurie et Marie-Anne.

Une classe verte pour se rapprocher de la nature est une idée qui plaît assurément à tout le monde. Tout le monde sauf peut-être Julien... qui, lui, a quelques inquiétudes. Car Julien a plusieurs phobies et les gère difficilement...

Julien est un peu trouillard. En fait, beaucoup. Il ne veut pas l'admettre, mais il a peur de plein de trucs : les ours, les loups, la noirceur, les orages. Son père lui répète souvent qu'il a trop d'imagination... qu'il voit des choses qui n'existent que dans sa tête. Un soir, il a même cru voir le museau d'un grizzly par sa fenêtre, mais il n'y avait aucune trace dans la cour pour confirmer ses dires.

En plus, le père de Julien devra travailler tard et ne pourra malheureusement pas faire partie des parents accompagnateurs. Julien est tellement déçu. Pour une fois que son père aurait participé à une activité scolaire avec lui! Il y a si longtemps qu'ils vivent juste tous les deux, ensemble. Et, puisque son père est souvent très occupé, tante Sophie prend le relais en venant dormir à la maison.

Parmi les parents qui participent à l'activité plein air, Julien connaît seulement ceux de Magaly, sa meilleure amie. Depuis qu'elle a emménagé à côté de chez lui, il y a maintenant quatre ans, ils passent beaucoup de temps ensemble.

Souvent, Nicolas et Gabriel, qui habitent tout près, se joignent à eux. Ils forment un quatuor d'enfer! Ce qu'ils aiment le plus, c'est jouer à Rock Band : Magaly chante de sa voix mélodieuse et chacun des garçons manipulent un instrument. Dans ces moments-là, ils ont l'impression de former un vrai groupe de musique.

Ces quatre amis s'entendent à merveille malgré leurs nombreuses différences. Julien est timide et renfermé, Gabriel est extroverti à l'os, Nicolas est plutôt suiveur et Magaly fait souvent à sa tête. Mais le sport et les jeux vidéo ont eu tôt fait de les réunir et, depuis ce temps, ils partagent des moments incroyables.

Le dernier cours de la journée passe lentement. Julien a l'impression de voir chaque seconde s'écouler. C'est si long de dépendre de cette cloche! Mais la classe entière a promis d'être attentive aujourd'hui, sinon madame Caroline a menacé d'annuler le camping. Tous les élèves sont silencieux, la plupart rêvassant à la superbe soirée qui les attend.

LE CAMPEMENT

Sacs de couchage, tentes, lunchs pour le souper. Tout est prêt, bien empaqueté dans d'énormes sacs à dos. Cette soirée en plein air annonce d'une belle façon la fin de l'année scolaire.

Le groupe doit se déplacer environ un demi-kilomètre pour se rendre à l'endroit prévu pour le campement. Julien et ses amis ferment la marche, se déplaçant au ralenti. Ils tentent d'apercevoir de petits animaux au travers du feuillage depuis qu'ils ont vu un écureuil à l'entrée. De longs arbres sont coincés entre des sapins touffus. Sous chaque pas, on entend des branches mortes craquer. On pourrait se croire au bout du monde, même si l'école n'est qu'à côté.

Plusieurs minutes plus tard, ils installent les tentes et préparent le nécessaire pour passer une agréable nuit. L'endroit choisi par les adultes est un grand cercle dépourvu de végétation. Le sol est couvert de mousse, ce qui donne l'impression d'avoir un matelas naturel qui permettra de dormir confortablement.

Compétitif de nature, Julien

s'exclame en direction de Magaly :

– Je gage qu'on va finir de monter notre tente avant vous.

– Comme si vous étiez meilleurs parce que vous êtes des gars!

Les filles s'empressent de terminer de monter leur tente. En même temps, les gars et les filles crient que leur mission est accomplie.

– Ha, ha, vous n'êtes même pas meilleurs, on a fini en même temps! dit Magaly en donnant un petit coup de poing amical à son ami.

Quand vient l'heure du repas, tout le monde s'assoit autour du feu pour manger son sandwich.

Madame Caroline a prévu plusieurs activités pour la soirée pour s'assurer que personne ne s'ennuiera.

Gabriel accroche Julien et le tire à l'écart du groupe.

– Qu'en penses-tu si ce soir on faisait une petite expédition quand tout le monde sera couché?

– Es-tu fou? Si on se fait attraper, ça va aller mal!

– Froussard!

– Je n'ai pas peur, c'est seulement que je ne veux pas me mettre les pieds dans les plats. C'est tout. Demande à Nico, je suis sûr qu'il va vouloir!

Julien déteste quand Gab lui propose des activités du genre... Il n'aime pas l'idée de se faire pincer à faire des mauvais coups. Et sortir en pleine noirceur, dans la forêt, non merci pour lui! Trop de risques... d'avoir peur. Juste à y penser, un long frisson lui parcourt le dos.

À la fin de la soirée, les élèves sont invités à s'asseoir à nouveau autour du feu de camp. Gab suggère :

— On pourrait se raconter des histoires d'horreur!

— Pourquoi pas! répond un autre garçon.

Cette idée n'enchante pas

Julien. Quand il lit des histoires de peur ou qu'il écoute des films du même genre, sa nuit est souvent remplie de cauchemars. Gabriel sait très bien que Julien n'est pas un amateur d'histoires d'épouvante. En fait, c'est en partie la noirceur qui lui fout la trouille. Quand il a de la difficulté à distinguer ce qui se passe autour de lui, il s'imagine les pires scénarios et là, son corps se met à trembler comme une feuille.

Tout au contraire, Gabriel, lui, est plutôt du style courageux. Il ne s'en laisse pas imposer et il est souvent celui qui marche à l'avant du groupe. Un gars aux nerfs d'acier.

Gab se lance donc :

– L'histoire que je vais vous raconter s'est passée dans une école il y a peu de temps. C'était une journée orageuse, et l'électricité venait de manquer. Des élèves de sixième étaient dans une classe au sous-sol de l'école, car la canicule était si forte à ce moment-là que le seul endroit confortable était là. Évidemment, le local n'avait aucune fenêtre; toute la classe était plongée dans une noirceur absolue.

Julien prend une grande respiration. Il regarde frénétiquement autour de lui. Quel était ce bruit?

Gab continue :

– Le prof de la classe essayait de garder les élèves calmes. Mais après plusieurs minutes sans lumière, ça devenait plus difficile. Tout le monde s'agitait. Des bruits sourds, vraiment bizarres, ont commencé à se faire entendre dans les murs et le plafond. Ensuite, des pas se sont mis à résonner tout autour des jeunes. Ce fut la panique générale. Les enfants couraient, d'autres étaient assis sans bouger, traumatisés. Les bruits se faisaient de plus en plus présents. Le prof utilisait sa lampe de poche pour éclairer les élèves tour à tour pour voir si tout allait bien.

En même temps qu'il raconte, Gab utilise sa propre lampe de poche pour éclairer le visage de ses compagnons. Plusieurs ont le visage crispé, attendant la suite de l'histoire. Le visage de Julien blêmit. S'il le pouvait, il se boucherait les oreilles pour ne pas entendre la suite. Mais il ne veut surtout pas avoir l'air d'un peureux devant ses amis. Il a quand même son orgueil. Il écoute donc Gabriel continuer son histoire, se répétant dans sa tête que ce qu'il raconte n'est que des foutaises.

— La chaleur était suffocante, certains élèves avaient de la misère à respirer. Même qu'une fille s'est évanouie. La porte de la classe claqua violemment. Tous étaient maintenant prisonniers du local! Et, tout à coup, les élèves ont senti quelque chose à leurs pieds… Quand la lampe de poche de leur prof finit par pointer le plancher, ils se rendirent compte que des centaines de souris avaient envahi le local…

— Hiiiiiiiiiiiiiiiiiiiiii!

Un groupe de filles hurlent quand Gab mentionne la présence des souris. Plusieurs soulèvent leurs pieds, par réflexe.

En même temps, Gabriel en profite pour agripper le pied de Magaly, ce qui la fait pousser un petit cri. Assise entre Julien et

Gabriel, elle frappe l'épaule de ce dernier avec son poing.

– Tu es con, Gab!

Tout le monde se met à rire. Gabriel se marre de ses copains de classe, fier de son coup.

Au même moment, une rafale survient, faisant bouger bruyamment les feuilles des arbres. Comme un vent chaud qui annonce l'orage...

JULIEN

Julien reconnaît bien ce vent. Un vent chaud et fort qui pourrait soulever les arbres s'il s'y met, un peu inhabituel pour un mois de juin. Lorsqu'un orage approche, les mains de Julien deviennent moites et des maux de ventre l'affligent. D'autant plus que ses craintes sont fondées, car il a vécu une mauvaise expérience lors d'un violent orage.

Une fois, Julien est allé à la pêche avec son père. Ce jour-là, il faisait très beau : le soleil brillait et il faisait déjà terriblement chaud même s'il était très tôt le matin. Mais au cours de la journée, un vent comme celui-là s'est levé. À peine un quart d'heure après, le tonnerre s'est manifesté et un orage s'est mis à frapper. Les vagues entraient dans la chaloupe, des arbres tombaient. Son père lui répétait qu'il n'y avait aucun danger. Mais l'agitation de l'eau et le ciel sombre déchiré par les éclairs donnaient une tout autre impression à Julien. Il sentait que cette journée ne finirait pas aussi bien que son père tentait de l'en convaincre. Celui-ci lui répétait qu'il contrôlait la situation. Jusqu'à ce que la chaloupe renverse et que lui et Julien se retrouvent à l'eau.

Julien se serait cru dans un film d'horreur. Le liquide s'infiltrait dans sa bouche et dans son nez. Il ne voyait plus où il était et n'arrivait plus à se sortir de l'eau.

Après, il ne se souvient de rien. Il s'est réveillé couché sur un quai, son père assis à côté de lui. Un bon samaritain était là aussi, un voisin qui avait aperçu la scène de son chalet. Il avait réussi à les dégager de là, tous les deux.

Depuis cet été-là, il y a trois ans, Julien se méfie des orages et se met à l'abri dès que possible. Il sait très bien qu'il aurait pu arriver bien pire cette fois-là. Il a eu une chance inouïe de s'en sortir sans casse.

Seules deux personnes sont au courant de cette histoire : ses amis Magaly et Gabriel. Magaly parce que Julien lui a raconté. C'est sa meilleure amie et ce n'est pas pour rien : elle est digne de confiance, en plus d'être à l'écoute. Gabriel l'a su, lui, parce qu'il a espionné Julien et Magaly et a entendu toute l'histoire. Il a promis de garder le secret. Depuis ce temps, Julien croise ses doigts pour que Gab tienne sa langue.

Juste à repenser à ce jour-là, Julien en a des frissons. Et il a beau essayer de se convaincre que tout va bien se passer cette nuit, il n'en est pas persuadé. Car ici, dans le fond des bois, il ne peut se réfugier nulle part ailleurs que dans sa petite tente de nylon. Rien de rassurant. Et il se sent bien seul, sans son père.

Julien sort de ses pensées et demande subitement :

— Quelle température annonce-t-on cette nuit?

— C'est supposé être dégagé. Regarde les étoiles, dit madame Caroline en montrant du doigt le ciel.

Julien et ses amis lèvent la tête, à la recherche de ces petits points brillants.

– Je ne vois rien, dit Magaly.

– Moi non plus… murmure Julien, soudain un peu pâle.

– Ça va aller? demande son amie, inquiète.

– Oui… je crois bien.

Le ciel est maintenant couvert de nuages et on ne peut plus voir la lune. Finalement, on dirait que le monsieur de la météo s'est encore une fois gouré et que la température change rapidement. Le visage de Julien se raidit : il sent déjà que la nuit sera longue.

Magaly jette un coup d'œil vers son ami : Julien est crispé, il ne bouge pas d'un centimètre et fixe toujours le ciel. Il secoue la tête de gauche à droite, manifestant ainsi sa nervosité.

Il se retourne et Magaly lui fait un petit sourire voulant dire « tout va bien aller ».

– Je n'en suis pas si sûr, chuchote Julien pour lui-même.

Madame Caroline rompt le lourd silence en intervenant :

– Bon, il est tard maintenant. Il est presque onze heures. Il est temps que chacun s'installe dans la tente qui lui a été attribuée. À onze et demie, je ne veux plus entendre un seul murmure. Est-ce bien clair?

Tous les enfants acquiescent, un peu déçus d'avoir un couvre-feu et surtout, qu'il soit si tôt.

Julien salue les filles et entre dans la tente avec ses copains.

GABRIEL ET NICOLAS

Gabriel et Nicolas parlent tout bas de leur plan de sortir durant la nuit.

— Vous allez vous faire prendre, rappelle Julien.

— Ah, voyons! Arrête d'avoir si peur! Il ne se passera rien du tout. Tu es pire qu'une fille, toi, parfois!

— Tu es con. Moi, je ne m'en mêle pas en tout cas. C'est clair que ça va mal virer tout ça.

Après avoir terminé sa phrase,

Julien ouvre son sac de couchage et s'assoit. Il prend les bonbons qu'il a glissés dans son fourre-tout et les déguste en écoutant attentivement le plan de ses amis, curieux malgré ses appréhensions.

« J'aimerais tellement avoir le courage de Gab parfois. Il est si insouciant! Ce genre d'histoires tourne toujours mal, tout le monde sait ça! Mais lui, il ne s'en fait pas du tout. »

Le son de quelques gouttes de pluie sort Julien de ses pensées. Les nuages qu'il a vus tantôt ont finalement crevé pour se vider de leur eau.

– Ah zut, la pluie! On ne pourra

pas y aller si la température est aussi moche! Je n'ai pas le goût d'être mouillé comme un petit canard, grogne Nicolas.

— Tu as raison. Mais je veux aller voir la cabane, j'en ai tant entendu parler! Et il paraît qu'on peut seulement la trouver la nuit.

— Quelle cabane? intervient Julien. De quoi tu parles?

— Tu ne connais pas la cabane du vieux fou Desharnais?

Les yeux de Julien font comprendre à ses amis qu'il n'a jamais entendu parler de cette histoire.

— Allez, raconte-lui, Gab!

Gab soupire, s'approche de Julien pour être en mesure de raconter l'histoire sans que les voisins des autres tentes ne les entendent.

– Il y a soixante ans environ, il paraît qu'un garçon d'à peu près notre âge aimait jouer dans le boisé. Il y venait régulièrement parce qu'il restait en bordure de la forêt.

– Vivait-il dans la maison bleue de l'autre côté du chemin? interroge Julien.

– Exactement. Un soir, il s'est rendu en forêt et le camp serait apparu devant lui. À dix heures le soir, il n'était toujours pas rentré.

Ses parents étaient très inquiets. Ils ont cherché dans les bois pendant plusieurs heures durant la nuit, jusqu'à ce qu'ils retrouvent enfin leur fils.

Julien est suspendu aux lèvres de Gabriel. Il écoute religieusement chacun de ses mots.

– Et puis?

– Il était inconscient, étendu par terre. Quand il s'est réveillé, le lendemain, le garçon ne parlait plus; tout ce qui sortait de sa bouche était des grognements bizarres. Il n'est plus jamais retourné dans les bois, et il n'est jamais redevenu normal.

– Est-il mort maintenant?

– Non, mais il rôde souvent en ville avec son chat attaché à une laisse. Tu l'as sûrement déjà vu.

– Oui! s'exclame Julien en frémissant. Je l'ai vu l'autre jour, près du dépanneur. Il a l'air tellement étrange…

Les garçons gardent le silence pendant un long moment. Les doigts de Julien se crispent sur son sac de couchage et sa gorge se noue, même s'il doute que cette histoire soit véridique. Des fois, ses amis ont tendance à exagérer un peu pour lui donner la trouille, et il le sait.

Plusieurs minutes passent et la pluie s'arrête finalement. Semble-t-il que ce n'était qu'un petit nuage. Madame Caroline annonce le couvre-feu.

— Toutes les lampes de poche doivent être éteintes maintenant. Et plus un mot! Bonne nuit, tout le monde!

Gabriel et Nicolas attendent en silence. Après d'interminables minutes, les deux garçons se font signe. Ça y est, il n'y a plus un bruit qui résonne dans la nuit. Ils ouvrent la porte de la tente.

Le bruit de la fermeture éclair est bruyant et dès que Gabriel sort la tête pour voir si la voie est libre, il aperçoit madame Caroline et les parents accompagnateurs autour du feu. Ils ne dorment pas encore!

– Gab! Qu'est-ce que tu fais? chuchote Nicolas.

Gab le frappe avec son pied.

– Gabriel, est-ce qu'il y a un problème? interroge madame Caroline en s'approchant de la tente.

– Euh, non. Je dois… j'ai envie.

– OK, mais dépêche-toi.

Gabriel lâche un soupir de soulagement et sort de l'abri de toile.

Dès son retour auprès de ses amis, Nicolas s'empresse de demander :

— Qu'y a-t-il?

— Les adultes ne sont pas près de se coucher. Ils ne font pas de bruit, mais ils sont encore autour du feu. On est mieux d'oublier ça et d'aller se coucher.

Gabriel se glisse dans son sac de couchage en maugréant.

Sa soirée est complètement gâchée.

JULIEN

Dans la noirceur, Julien n'arrive pas à s'endormir. Le récit de Gabriel le tourmente. Avant ce soir, il n'avait jamais entendu parler de l'histoire de monsieur Desharnais. C'est bizarre. Pourquoi ses amis ne lui ont-ils pas relaté ces événements avant?

La chair de poule lui prend.

L'autre jour, son père ne lui a pas raconté l'histoire non plus quand ils ont croisé l'homme.

Est-ce que la cabane du fou – s'il est réellement fou – existe au fond des bois? Pourtant, il est souvent allé dans la forêt derrière l'école avec ses copains. Un camp ne peut quand même pas apparaître seulement la nuit!

Julien sait très bien que de telles histoires ne peuvent être réelles. Même s'il est un peu trouillard, il n'est quand même pas dupe. Il sait que la plupart des récits que Gabriel lui rapporte sont faux. Gabriel a un talent particulier pour les inventer de toutes pièces.

La dernière fois qu'il est allé dormir chez son copain Nicolas, Gabriel a tenté de lui faire croire une légende épouvantable. Il a mis Julien au défi d'aller devant le miroir et d'appeler Monica cinq fois. Dans la noirceur, Gabriel a accompagné Julien et l'a placé devant un grand miroir dans la salle de bain. Il faisait sombre et Julien n'osait pas regarder son propre reflet.

Julien devait dire le nom de Monica cinq fois dans le miroir et celle-ci était censée se manifester. Ce fantôme était, selon Gab, celui qui hantait la demeure de leur copain. Au début, Julien y croyait, car il avait déjà entendu parler d'une légende semblable qui se passait au cimetière. Tout le monde à l'école connaît cette histoire, car elle est arrivée à l'amie de la cousine de Jérôme, un garçon de quatrième année.

Julien était paniqué devant le miroir. Et si cette Monica surgissait? Julien s'est calmé quand il a réalisé que Nicolas habite une maison que ses parents ont fait construire il y a à peine trois ans. C'est là qu'il a compris que tout ça était de la foutaise. Tout le monde sait que les fantômes hantent seulement les vieilles baraques. En plus, le spectre de Monica n'est jamais apparu dans le miroir.

Mais cette histoire de spectre a quand même empêché Julien de dormir ce soir-là. Il était près de deux heures du matin quand il a enfin réussi à s'endormir. Et il a fait des cauchemars toute la nuit. Un fantôme le retenait à son lit et il n'arrivait plus à bouger. Jusqu'à ce que cette Monica ensanglantée apparaisse à son tour pour venir le torturer.

C'est peut-être pour ça que Julien n'arrive pas à trouver le sommeil ce soir. Couché ici, dans le fond des bois, avec cette image de vieux fou en tête, il est certain qu'il fera une tonne de cauchemars. Des loups qui viendront rôder autour de sa tente, des pluies torrentielles, voilà des éléments qui pourraient facilement venir troubler son sommeil.

« Tu dois apprendre à te contrôler, mon cher. Il ne peut tellement rien arriver de toute façon. Il y a des adultes tout autour de nous et le trajet pour l'école se fait à pied. Endors-toi »

GABRIEL ET NICOLAS

Gabriel trouve totalement nul de se coucher aussi tôt. Une nuit dans la forêt, ça peut prendre beaucoup de temps avant que ça se représente! Cette sortie nature était le moment idéal pour aller explorer la forêt dans l'obscurité, sans adultes. Et surtout, pour enfin élucider le mystère du bonhomme Desharnais... et de son camp qui apparaît seulement la nuit.

Après que les adultes se soient enfin endormis, il secoue

vivement Nicolas pour le réveiller. Il n'est pas question que Gabriel s'enfonce dans les bois sans son meilleur ami.

– Allez, réponds-moi! murmure-t-il, penché au-dessus de son visage.

Nicolas se réveille en maugréant.

– Qu'est-ce que tu veux?

Gabriel convainc son ami de s'habiller pour aller se promener aux alentours. Nicolas est influençable et ça, son ami le sait très bien. Et il est tout aussi curieux que lui.

Lorsque Gabriel passe la tête par la porte de la tente pour la deuxième fois de la soirée, il soupire de soulagement. Cette fois-ci, la voie est libre. Tout le monde est couché. Gab se retourne vers son ami et lui fait signe de garder le silence en mettant son index devant sa bouche. Nicolas hoche la tête et sort doucement de l'abri de toile.

Armés de leur lampe de poche, les deux garçons s'aventurent entre les arbres éclairés partiellement par la lune. Il semble bien que le ciel se dégage tranquillement. Les gros nuages ont été moins menaçants qu'ils le paraissaient.

– Je sais que la cabane est dans la partie sud de la forêt. Manu me l'a dit la semaine passée.

– *Cool!* Est-ce que tu sais par où il faut aller?

– Je crois que c'est par ici.

Les garçons continuent leur marche jusqu'à ce qu'ils arrivent à un endroit dégarni d'arbres. Gabriel tourne en rond, inquiet. Tout semble indiquer que le camp devrait être ici. Pourtant, la place est vide. Il est passé minuit... Que se passe-t-il? Est-ce que toute cette histoire est seulement un gros mensonge? Une simple légende?

– J'étais sûr que...

– C'est bizarre, tu ne trouves pas? commente Nicolas.

– Pourtant, Manu m'a dit que... la cabane est... censée apparaître le soir. Mais c'est difficile de se retrouver dans cette noirceur. Tout se ressemble ici!

Gab scrute partout autour de lui. Rien. Aucune trace du supposé camp. Nicolas regarde sa montre : il est presque une heure du matin.

– Il vaut mieux rentrer, dans ce cas-là.

– Non, insiste Gabriel. Ce doit être tout près. C'est impossible que le camp soit disparu.

FROUCH!!! Un bruit sourd surprend les garçons et la terre sous leurs pieds s'effondre.

JULIEN

CRAAAAAAACK!

Julien se réveille en sursaut. Il regarde tout autour de lui. Il n'y voit absolument rien dans le noir. Que s'est-il passé?

Julien tâtonne pour trouver sa lampe de poche. Il l'allume et regarde autour de lui. Il se souvient alors qu'il est en camping avec l'école. Il vérifie dans les deux sacs de couchage à côté de lui : personne. Où sont passés ses amis?

Craaack!

Julien prend une grande respiration.

« Ce n'est que le tonnerre. Prends sur toi. »

Il se gratte le côté de la tête. Sa montre indique qu'il est plus d'une heure du matin.

« Bande d'abrutis. Ils vont se faire prendre par l'orage s'ils ne reviennent pas de sitôt. »

Julien se frotte les yeux. Il s'étend à nouveau et tente de se rendormir. Il tourne de tous bords, tous côtés, cherche une position confortable, mais rien à faire. Il n'arrive plus à retrouver le sommeil. Il ne pense qu'à ses deux amis qui sont au fond des bois. Une idée saugrenue lui passe alors par la tête. Comme si une force lui ordonnait d'aller rejoindre ses amis.

Il enfile un chandail, son jeans et ses espadrilles avant de sortir de la tente. Dehors, l'air est lourd et humide. Une atmosphère que Julien n'apprécie pas particulièrement. À l'ordinaire, quand de gros orages éclatent, il se réfugie au salon et son père le rejoint toujours. Il sait très bien que son fils déteste toujours lorsque le tonnerre gronde de tout son pouvoir. Une peur incontrôlable. Ce ciel noir, ces éclairs qui illuminent l'obscurité au grand complet et surtout, ce vent qui fouette les arbres et donne l'impression que la maison va s'envoler... Trop de mauvais souvenirs.

Julien s'approche de la tente de Magaly et murmure son nom afin de la réveiller.

– Allez, Mag. Lève-toi.

Aucun bruit dans la tente de son amie. Elle ne l'entend pas.

« Ouf! Je devrai agir seul cette fois-ci. Allez, courage, tu es capable, Julien! »

GABRIEL ET NICOLAS

– Nico, où es-tu? interpelle Gab en secouant sa lampe de poche pour faire renaître le faisceau de lumière.

C'est le silence complet.

Gabriel tente de se relever tant bien que mal. Il se frotte les mains pour dégager la terre qui recouvre ses paumes. Il éclaire rapidement tout autour de lui, tentant de retrouver son copain.

Un peu plus loin, Nicolas est

étendu par terre.

– Es-tu correct?

Nicolas revient à lui, se tenant la tête à deux mains.

– Que s'est-il passé? Où sommes-nous?

– Je ne sais pas! Je ne sais pas du tout…

– On dirait que… que nous sommes tombés dans un trou!

Pris de panique, les garçons tentent de grimper les parois pour sortir de la cavité. Chaque fois qu'un des deux réussit à s'agripper, la terre cède et il s'écroule au fond. Après plusieurs minutes d'acharnement, les deux

amis s'affaissent, épuisés et décou-
ragés.

– Pourquoi y a-t-il cet immense
trou au milieu du boisé? Je n'ai
jamais vu ça auparavant.

– Moi non plus. Je n'y com-
prends rien! Il faut trouver une
façon de sortir d'ici et vite.

Les deux garçons réfléchissent
en silence afin de trouver une
solution. Nicolas est effrayé, mais
il tente tant bien que mal de le
cacher à son ami, car Gab, lui, n'a
peur de rien. Il semble bien calme
malgré la situation alarmante.

– Je sais, Nico! On va faire
comme dans le cours de gymnastique.

Nicolas le dévisage avec de gros points d'interrogation dans les yeux.

– On n'a même pas de cours de gymnastique!!

– Je sais, mais mon frère, oui.

– Mais comment ça peut nous aider? Ton frère n'est pas ici, pris dans le trou avec nous!

– Relaxe! Il m'a montré l'autre jour comment il doit faire pour que Julia grimpe sur ses épaules. Je vais faire la même chose pour toi.

– D'ac. On essaie alors!

Gabriel se penche afin que Nicolas puisse poser ses pieds sur ses épaules.

– Beurk, tes souliers sont pleins de boue!

Nicolas se tient maintenant en petit bonhomme sur Gabriel. Il appuie ses mains contre les parois du trou et Gabriel tente de se lever pour que Nicolas puisse atteindre le haut de la cavité. En forçant vers l'avant, les deux garçons perdent l'équilibre et se retrouvent au sol.

– Ça ne marche pas! se plaint Nicolas.

– Allez, on recommence. On finira par l'avoir.

Lors de la deuxième tentative, Gabriel réussit à se lever avec son ami accroupi sur ses épaules. Nicolas accroche ses mains sur la terre ferme en haut du trou et réussit à se hisser. Son corps s'incline vers l'avant et il est enfin libéré.

Il se couche au sol, la tête face à la fosse où Gab est encore coincé.

– Allez, prends mes mains.

De toutes ses forces, Nicolas tire son copain. Ce dernier appuie ses pieds contre la paroi du trou et arrive à grimper jusqu'au milieu du trou. Un ultime effort et Gabriel est enfin au côté de Nicolas.

Les deux garçons sont à bout de souffle et… soulagés.

JULIEN

Julien s'empresse de s'éloigner du campement où toute sa classe est installée. Il écoute attentivement pour voir s'il n'entendrait pas les voix de ses amis.

Rien.

Ses amis connaissent très bien le petit boisé. En fait, presque tous les élèves de troisième cycle de l'école viennent jouer dans les environs. Comme ce n'est pas très grand, à peine quelques kilomètres carrés, il n'y a pas de danger de s'y perdre. Ils n'auraient tout de même pas dû s'y rendre en pleine nuit. Mais l'obsession de ses amis de voir le camp du vieux Desharnais était trop forte.

Julien emprunte le sentier à côté de sa tente. Il ne sait pas trop où se trouve la cabane parce que les garçons ne le lui ont pas dit. Mais il doit être dans la partie du boisé près du chemin. Si monsieur Desharnais y jouait quand il était jeune, il devait pouvoir s'y rendre facilement… c'est logique!

Dans le sentier, le sol est raboteux et Julien risque de tomber tous les dix pas. Tout à coup, il aperçoit une lueur à travers les arbres. Il avance de plusieurs pas jusqu'à ce qu'il se retrouve face à un camp. Comme celui décrit par ses amis.

Ce camp a été construit avec du vieux bois qui n'a même pas été peint. Les fenêtres sont intactes, mais quasi opaques à cause de la saleté. On dirait que cet endroit sort tout droit d'un film d'épouvante tellement c'est laid.

« C'est impossible que ce soit le camp que Gab m'ait décrit! Voyons... »

Curieux, Julien approche tranquillement du vieux camp. Il discerne une lueur à l'intérieur et des ombrages en mouvement. Ses amis sont là! Woh! Ils sont courageux d'avoir mis les pieds dans cet endroit. Si l'histoire est vraie...

« Pourquoi ne pas leur faire une petite trouille tant qu'à y être. Ça leur apprendra à sortir en pleine nuit! »

Julien ramasse une vieille branche par terre et frappe quelques coups sur la porte. Dès qu'il entend des pas dans le vieux camp, il se dépêche de se cacher. Il répète le même cirque dans la fenêtre. Après quelques secondes, il se dirige vers la porte et l'ouvre d'un coup en hurlant.

Des cris de frayeur répondent à celui de Julien.

— Je vous ai bien eus! s'esclaffe Julien.

Julien pointe sa lampe de poche à l'intérieur avant de mettre un pied dans la vieille bâtisse.

Le camp est vide.

GABRIEL ET NICOLAS

Les deux garçons reçoivent des gouttes sur la tête.

– Oh non! s'exclame Nicolas. On est mieux de rentrer rapidement, sinon on retournera à la tente tout trempés.

– Tu as bien raison. Mais de quel côté doit-on aller?

– Je ne sais pas... je ne sais plus.

Soudain, Gabriel reçoit deux petits coups dans le dos.

– Pourquoi as-tu fait ça?

– Fais quoi?

– Pourquoi m'as-tu frappé dans le dos?

– De quoi parles-tu, Gab?

– Quoi? Ce n'est pas toi?

Lentement, Gabriel se retourne pour voir ce qu'il y a derrière lui.

Rien.

– Tu hallucines, mon vieux!

– Non, pas du tout. Je suis sûr que quelqu'un m'a donné deux coups… comme des tapes dans le dos.

– Voyons… il n'y a personne d'autre que nous. C'est impossible.

Et je te jure sur la tête de ma mère que ce n'est pas moi.

À nouveau, Gabriel ressent la même sensation, mais cette fois-ci au lieu de coups, il a l'impression que quelque chose le frôle.

Il tourne la tête brusquement, essayant de chasser cette sensation du revers de la main.

— Ça va? ose demander son ami.

Gabriel bouge frénétiquement, sautille sur place, les yeux remplis de frayeur.

— C'est terrible. Il y a quelque chose autour de moi... Je le sens...

— Foutons le camp d'ici. Je n'aime pas trop cet endroit.

– Je suis d'ac. On va par où?

Gabriel jette un regard autour de lui. La forêt continue à danser au rythme du vent. Le bruit des feuilles se fait plus menaçant.

Il essaie de se rappeler par où son ami et lui sont venus, mais sa mémoire lui joue des tours. Avec le débit de la pluie qui augmente, il est difficile de bien voir.

Un éclair déchire le ciel de toute sa longueur. Les deux amis lâchent un petit cri. La forêt paraît si sombre à ce moment, et ils n'ont aucune idée d'où ils sont.

– Allons de ce côté, suggère Gabriel. Peut-être que c'est par là.

JULIEN

– Les gars, arrêtez de me niaiser! Je sais que vous êtes là.

Persuadé que ses copains ont décidé de lui jouer un tour, Julien fouille afin de voir où ils peuvent bien se cacher. Il cherche dans tout le petit camp, mais aucune trace de Gab et Nico. Il ouvre les portes, tire les rideaux, regarde sous le lit.

Il n'y a personne.

Julien panique. Dans le petit

bâtiment, il fait étrangement chaud. Comme si quelqu'un avait allumé un feu un peu plus tôt. Quelques chandelles brûlent encore.

C'est certain que ses amis sont passés par ici. Qui d'autre pourrait avoir mis les pieds dans la cabane? Et où Gab et Nico pourraient-ils être partis? Julien doit les retrouver. Et sa curiosité est piquée… Il veut savoir si le camp dans lequel il est actuellement est bien celui du vieux fou.

Julien jette un dernier coup d'œil à l'intérieur avant de quitter l'endroit. Il doit trouver ses amis pour les ramener au campement, sinon ils seront dans un foutu pétrin. Un grand frisson parcourt le dos du garçon.

Les bois semblent de plus en plus sombres et quelques gouttelettes commencent à tomber. Pour la deuxième fois ce soir, le ciel se couvre de gros nuages lourds. Des petits bruits, semblables à des pas, se font entendre. Est-ce des yeux que Julien aperçoit dans l'ombre? Il tourne sur lui-même pour se rassurer. Un autre bruit résonne, fort et sourd cette fois. En panique, Julien refait quelques tours sur lui-même. Il est vraiment seul, rien ne se pointe à l'horizon.

« Je dois me dépêcher avant de me faire prendre par l'orage! »

Même si Julien sait très bien que le boisé est petit et qu'il le connaît comme le fond de sa poche, il se sent de moins en moins brave. Il a toujours visité ce boisé le jour. La nuit, tout paraît différent : plus sombre, plus inquiétant. Surtout dans cette noirceur, tous les arbres semblent prendre vie : leurs grandes branches flottent au vent, prêtes à l'attraper. Les buissons cachent de petites et grosses bêtes qui pourraient bondir à tout moment. Tout est difficile à différencier...

À force de tourner en rond, Julien ne sait même plus de quel côté se diriger. La noirceur le terrifie.

Whoooo!

Était-ce le cri d'un coyote? Ou pire, celui d'un loup? Ses pires craintes se fondent dans sa tête, au point que Julien oublie même que le boisé est toujours à côté de l'école.

Il s'arrête un instant pour reprendre son souffle et se calmer. Car c'est la meilleure solution pour contrôler sa peur et retrouver sa tente.

Tant pis pour ses amis, ils rentreront bien par eux-mêmes. Peut-être même qu'ils sont déjà arrivés au campement.

GABRIEL ET NICOLAS

Nicolas suit Gabriel de près. Il a tellement peur de se retrouver seul... Il regrette maintenant d'être sorti du confort de son sac de couchage pour suivre son ami. D'autant plus qu'ils n'ont pas vu le camp et qu'ils sont trempés à l'os. La forêt semble peser sur leurs épaules, le temps est lourd et chaque petit bruit fait sursauter Nicolas.

— Eh, regarde, Nico! De la lumière!

– On dirait…

Devant eux se dresse le camp. De la lumière brille dans les petites fenêtres. La porte ballotte au rythme du vent.

JULIEN

Il y a près de vingt minutes que
Julien tourne en rond. Il panique.
Il ne sait plus où aller, il n'arrive
plus à retrouver le camp et encore
moins le campement de sa classe.
Il fait quelques pas à gauche,
hésite, revient vers l'avant. Il
regarde le ciel, essayant de trouver
une étoile qui pourrait le guider. À
travers ses larmes, il ne voit plus
rien. D'une main, il se frappe le
front. Son cœur bat à lui sortir de
la poitrine. Tout ce qu'il aurait le
goût de faire est de hurler pour

que quelqu'un vienne le chercher.

– AHHHHHHHHHHHH!

Son cri reste sans réponse dans la nuit. Seul son écho le nargue.

« Quelle idée de sortir en pleine nuit! »

Les vêtements de Julien dégouttent tellement il pleut. Des coups de tonnerre retentissent toutes les deux minutes. Julien est si découragé qu'il a seulement le goût de s'asseoir par terre et de pleurer. Mais il ne peut pas. Il doit retrouver sa tente, ses amis.

Des bruits étranges résonnent près de lui. Il se retourne rapidement.

Rien.

Un éclair illumine le ciel. La noirceur revient tout aussi vite. Le vent secoue les feuilles et les branches avec une force inouïe. Julien sent une présence. Comme si quelqu'un tournait autour de lui.

« Gab et Nico! »

– Les gars, êtes-vous là?

Aucune réponse.

– Allô, Gab? Nico? Ne niaisez pas! On rentre maintenant.

Comme seule réponse, le vent se met à secouer les branches encore plus fort.

CRAAAAAACK!!!

La foudre frappe, le bruit et l'éclair en simultané. Tout à coup, Julien fige. Tout est noir. Il essaie de se relever, mais il en est incapable. Son corps est paralysé.

Julien s'évanouit.

GABRIEL ET NICOLAS

Gabriel examine de tous les côtés en restant dans la porte du camp avant d'y mettre le pied. Des chandelles se consument et une chaleur surprenante accueille les deux garçons.

– Ouf! La voie est libre. On peut se reposer.

Ils s'assoient à la table. Ils reprennent leur souffle et se réchauffent.

– Voyons ce qu'il y a ici.

Gabriel se met à ouvrir les portes d'armoires, à la recherche d'indices. Il aimerait bien savoir à qui appartient cette cabane.

– Je ne suis pas sûr que c'est une bonne idée, l'avertit Nicolas.

– Qu'est-ce qui peut arriver?

– Je ne sais pas... À qui appartient le camp?

– C'est exactement ce que je veux savoir!

– Si c'est le camp du vieux fou?

– Peut-être... Mais pourquoi l'endroit semble-t-il habité?

Après plusieurs minutes de recherche, Gabriel désespère. Il ne trouve rien qui peut l'aider à trouver la réponse. Est-ce vraiment la cabane du bonhomme Desharnais? Il en doute.

— Bon, c'est assez. Allons-nous-en.

— OK. Je suis fatigué de toute façon… dit Gab en regardant sa montre. Il est deux heures du matin.

Les deux garçons sortent du camp et voient le sentier par lequel ils sont arrivés au début de la soirée.

— Bizarre, murmure Gab en fronçant les yeux. J'ai l'impression que nous sommes passés ici tantôt.

— J'ai cette impression moi aussi.

Ils empruntent le sentier et quelques minutes plus tard, ils arrivent à leur tente.

Leur ami n'est plus là.

MADAME CAROLINE

– Madame Caroline! Madame Caroline!

Madame Caroline ouvre la porte de sa tente. Devant elle se tiennent Nicolas et Gabriel, complètement trempés. Les yeux honteux, ils fixent le sol.

– Que se passe-t-il? Que faites-vous là?

– Madame Caroline, c'est Ju... Julien! Il n'est pppplus...

– Attendez une minute, je sors

de la tente.

Un instant plus tard, l'enseignante se tient devant les deux
garçons, son parapluie à la main.

– Pourquoi êtes-vous trempés?

Contraint de dire la vérité,
Nicolas raconte toute l'histoire, à
partir du début, à sa professeure.

– Vous avez passé la nuit dans
les bois? gronde-t-elle.

Gabriel intervient :

– Mais là, l'important, c'est que
Julien a disparu. Il ne voulait pas
venir… À notre retour, il n'était
plus là…

– Il a sûrement voulu vous
suivre, avance l'enseignante.

– Non! Ce n'est vraiment pas son genre, déclare Nicolas pour défendre son ami disparu. Il a tenté de nous faire changer d'idée! Il faut le retrouver.

Alarmée, madame Caroline réveille les autres adultes présents. À cause du bruit, tous les élèves sont maintenant debout.

– OK, monsieur Boyer, vous restez avec les enfants. Les autres, nous devons retrouver Julien. Il est quelque part dans les bois, sûrement perdu.

Voulant cacher sa frayeur, l'enseignante garde son calme. Elle divise les équipes de recherche. Armés de leur cellulaire, les adultes s'enfoncent dans la forêt à la recherche du jeune Julien.

LE MATIN

Le soleil se lève doucement sur une forêt humide. La lumière semble pénétrer chacune des gouttes d'eau sur les feuilles et le sol. Il fera très chaud aujourd'hui.

Les enfants sont assis en rond, attendant le retour des adultes. Un silence lourd pèse sur les épaules de tous, surtout celles de Gabriel et Nicolas. Ils se sentent coupables, car ils ont l'impression que la disparition de leur ami est leur faute.

Des bruits se font entendre pas très loin. Enfin! Les adultes reviennent avec Julien.

Les élèves sourient, se sentant soulagés de savoir que tout est enfin fini et qu'ils pourront retourner à la maison. Ils ne sont pas près de revenir en camping!

Madame Caroline ouvre la marche. Son regard est sombre. Personne ne sourit, ce qui n'augure rien de bon.

Julien n'est pas là.

L'enseignante prend la parole.

– J'aimerais que vous défassiez vos tentes rapidement. Ramassez vos choses, on part dans quelques minutes.

— Mais… mais… où est Julien? demande Magaly, au bord des larmes.

— Je ne sais pas du tout… Allez, dépêchez-vous.

— Avez-vous appelé la police? questionne Nicolas, tout aussi en panique que les autres jeunes.

— Oui. Ne me posez pas d'autres questions. Nous vous expliquerons plus tard. Dépêchez-vous!

Quelques minutes plus tard, en file indienne, tous les élèves se suivent en silence pour se rendre à l'école. La marche est longue et pénible. Non pas à cause de la boue, mais à cause de l'absence de Julien.

Gabriel n'arrive pas à dire un mot. Ses yeux sont rouges parce qu'il n'a pas dormi de la nuit. Il a peine à respirer tellement il se sent mal. S'il le pouvait, il crierait à pleins poumons.

À la sortie de la petite forêt, tous voient que des voitures de police ont envahi la cour d'école. Les lumières rouges et bleues qui alternent alertent les enfants. La panique monte au sein de la classe de madame Caroline. Des petits cris, des pleurs; tout le monde réagit à la vue des policiers.

Madame Caroline dépose ses sacs et court en direction des policiers.

Les adultes retiennent les enfants pour qu'ils ne suivent pas leur enseignante.

— Restez ici et attendez, s'il vous plaît.

Incapable de rester en place, Gabriel se faufile et court en direction de sa professeure. Il veut à tout prix savoir ce qui se passe.

— Non, Gabriel. Reviens ici.

Mais trop tard, Gabriel est maintenant à la hauteur de madame Caroline.

Sur une civière, Julien est étendu, les yeux fermés.

ÉPILOGUE

Gabriel ne peut s'empêcher de regarder le pupitre de Julien, qui est vide. Depuis deux semaines, Julien ne s'est pas pointé à l'école. Aucune nouvelle. Gabriel a téléphoné plusieurs fois chez Julien, mais il semble qu'il soit toujours à l'hôpital. Enfin, c'est ce que son père lui a dit.

Personne ne sait ce qui s'est passé ce soir-là, dans les bois. Mais Julien ne parle plus. Il ne lâche que quelques grognements. Il semble traumatisé. Pourquoi Gabriel et Nicolas sont-ils indemnes? Julien aurait-il été frappé par la foudre?

Des racontars ont fait le tour de l'école. La plupart des jeunes pensent savoir ce qui est arrivé à Julien.

Gabriel veut savoir si c'est vrai, si c'est possible. Il veut comprendre. Et ce soir, il ira visiter le vieux Desharnais pour connaître la vérité. Parce que Julien est peut-être devenu comme lui...

FIN

REMERCIEMENTS

Merci à tous ceux qui collaborent au succès de la collection Zone Frousse. Et merci, Richard, de rendre les couvertures de mes livres aussi effrayantes!

DANS LA MÊME COLLECTION :

AMY LACHAPELLE

 Auteure jeunesse, Amy Lachapelle écrit la série *Le monde de Khelia*, qui s'adresse aux 10 à 14 ans, dont le premier tome a paru en 2008. Par la suite, elle signe ses premiers titres dans la collection Zone Frousse. Amatrice de frissons et de suspense, elle adore les films et histoires d'horreur qui lui procurent de vives émotions. Coécrite avec Richard Petit, sa nouvelle collection titrée Ping Pong propose des mini-romans rédigés sous forme textos.